Mon copain le monstre

Une histoire de Nicolas de Hirsching
illustrée par Mérel

HATIER

LES PERSONNAGES
DE L'HISTOIRE

Henri

Le monstre

1

Le monstre ouvrit d'abord un œil, puis le deuxième, et enfin le troisième…

Il ne savait pas où il se trouvait, tout était noir autour de lui. C'était comme s'il sortait d'un long sommeil. Pourtant, petit à petit, des souvenirs remontèrent à sa mémoire…

Tout avait commencé, il y avait bien longtemps, lorsqu'il avait tenté de manger les enfants d'une fameuse sorcière. Elle s'appelait Cracrabrosse… ou quelque chose comme ça. Hélas, la sorcière l'avait surpris au moment où il allait croquer un de ses affreux marmots joufflus. Le monstre, comme d'habitude, avait essayé de se rendre invisible en fermant son troisième œil, mais il n'en avait pas eu le temps ; d'un geste magique, la sorcière l'avait paralysé. Puis, d'un claquement de doigts, elle l'avait fait flotter en l'air, et l'avait emmené dans une caverne souterraine. Là, elle l'avait endormi et avait rebouché l'entrée de la caverne…

Le sommeil du monstre avait duré des centaines d'années, mais à présent, la sorcière devait être morte, car le sort magique avait cessé.

Le monstre était réveillé et il se sentait en pleine forme.

D'un coup de pied (le monstre avait d'ÉNORMES pieds), il démolit le mur le plus proche et partit faire son métier de monstre : effrayer et dévorer les enfants.

Derrière le mur, il y avait un long couloir sombre avec des tas de portes en bois cadenassées. Le monstre le suivit jusqu'au

2

Qu'est-ce que la sorcière a fait au monstre ?

9

bout et arriva devant une lourde porte métallique. Il tendit deux doigts et lui lança une pichenette ; la porte vola en éclats et il se retrouva à l'air libre. 3

Le monstre écarquilla ses trois yeux de 4 surprise ; le monde avait bien changé pendant son sommeil ! Plus d'arbres, plus de champs, plus de châteaux ! Rien que de gigantesques tours carrées avec des tas de petites fenêtres grises. Bien sûr, il ignorait qu'il se trouvait dans une cour entourée d'immeubles, mais en voyant autour de lui de nombreuses portes, il se douta que des gens devaient vivre ici. Et surtout, ce qui l'intéressait le plus, des enfants…

Il ferma son troisième œil pour se rendre invisible ; un pouvoir bien pratique pour fuir ses ennemis ou surprendre ses victimes. Puis il s'assit dans un coin et attendit…

Peu de temps après, un garçon apparut. Ses cheveux gominés se dressaient, raides sur 5 sa tête, et sur son blouson violet était dessiné un chanteur de rock. Il ne regardait pas où il marchait, tout occupé à tapoter rageusement un jeu électronique qu'il avait entre les mains. De temps en temps, il gesticulait avec ses épaules comme pour danser sur la musique qu'il écoutait grâce à son baladeur.

Le monstre n'en croyait pas ses yeux. Jamais il n'avait vu d'enfants habillés ainsi. Il crut d'abord qu'il s'était réveillé un jour de carnaval. Mais il réfléchit : la mode avait dû changer durant toutes ces années. Doucement, il s'approcha derrière le garçon, redevint visible et poussa un grognement terrible :

— GGRROOOAAARRR ! ! !

Le garçon ne se retourna pas. Il n'avait

Dans l'histoire, l'enfant a seulement deux objets. Lesquels ?

rien entendu, à cause de son baladeur bien sûr, mais ça, le monstre ne pouvait pas le deviner.

— Je suis peut-être tombé sur un sourd ? pensa-t-il, dépité.

Le monstre se plaça alors devant le garçon et se mit à faire des grimaces horribles. Mais le garçon ne levait pas la tête ; il fixait toujours le jeu électronique avec lequel il jouait. Il bouscula simplement le monstre en disant :

— Pardon, Madame Lapomme !

Puis, il entra dans son immeuble.

Le monstre se retrouva seul dans la cour, terriblement vexé.

— Madame Lapomme ? Est-ce que je ressemble à une Madame Lapomme ?

2

Un peu plus tard, la porte d'entrée s'ouvrit, poussée par une petite fille. Elle avait un casque de cosmonaute sur la tête, et son corps était vêtu d'une armure recouverte de boutons et de cadrans. À sa main, un pistolet transparent lançait des étincelles en faisant un drôle de bruit :

« PAN ! PAN ! VIZZZ ! VIZZZ ! »

Le monstre était surpris qu'on laisse une petite fille porter ce qui lui semblait être un costume de chevalier, mais il songea avec sagesse : « Chaque époque a ses habitudes ! »

Il pria quelques secondes pour que la petite fille ne soit pas une sorcière et que le pistolet ne soit pas une baguette magique, puis il se rendit visible.

— GGRRROOOAAARRGG ! hurla-t-il en ouvrant la bouche si grand qu'il crut un moment que son menton allait toucher par-terre.

La petite fille s'arrêta et l'examina de la tête aux pieds. Elle n'avait pas l'air effrayée du tout. Elle releva son casque et demanda :

— T'es un monstre, toi ?

— Bien sûr que je suis un monstre ! répondit le monstre très surpris.

— Et tu viens de quelle planète ?

— Une planète ? Qu'est-ce que c'est ? s'étonna le monstre qui n'avait jamais entendu ce mot.

— Pffftt ! se moqua la petite fille. Tu connais rien, toi ! T'as des rayons laser, au moins ?

— Des rayons lazaires ?

En quoi la petite fille est-elle déguisée ?

CRAT CRAT !!!

Le monstre comprenait de moins en moins. La petite fille le regarda en hochant la tête.

— Si tu ne viens pas d'une autre planète et que tu n'as pas de rayons laser, c'est que tu n'es pas un vrai monstre ! Bye-bye !

Le monstre n'en revenait pas.

— Pas un vrai monstre, moi ? Elle est folle, celle-là !

Mais la petite fille était déjà partie.

Le monstre retourna dans un coin en grommelant :

— Quelle idiote ! Elle n'a pas vu mes pieds ? Elle n'a pas vu mes griffes, mes dents ? Qu'est-ce qu'elle croit ? Que je suis une grosse vache à trois yeux ?

Jamais on ne lui avait dit une chose pareille ; c'était comme si on lui avait affirmé que le soleil n'avait pas de rayons ou que la lune n'était qu'une grosse patate plantée dans le ciel.

Quand un troisième enfant passa dans la cour, le monstre se jeta sur lui en hurlant d'une voix épouvantable :

— Tremble, tremble, freluquet, garnement ! Tremble, car je vais te croquer !

Le garçon ne ralentit même pas. Il continua à marcher en désignant son cartable.

— Demain, j'ai contrôle de français et de calcul ! Et en plus, j'ai une page de punitions ! Alors, si tu crois que j'ai le temps !

En quelques pas, il traversa la cour et rentra chez lui.

— Il faut avoir du temps pour avoir peur, maintenant ? s'étonna le monstre. Voilà qui est nouveau !

Il contempla son reflet dans une porte ¹⁰ vitrée et réfléchit.

« Je ne suis peut-être pas assez effrayant ? Je suis peut-être trop bien peigné ? Il faut arranger ça ! »

Il ébouriffa ses cheveux dans tous les sens ¹¹ et écarta tous les poils de son visage afin que l'on voie bien sa bouche immense. Puis, il claqua l'air avec ses dents et fit rouler ses trois yeux de façon terrible.

« Cette fois-ci, ça va marcher ! pensa-t-il en s'admirant avec satisfaction. J'ai presque peur moi-même ! »

Le quatrième enfant qui traversa la cour était un garçon. Le monstre se rua sur lui en répétant ses affreuses grimaces : 12

– Tremble, tremble, vermisseau, chenapan ! 13
Tremble, car je vais te manger !

Le garçon ne sursauta même pas. Aucune inquiétude ne se lisait sur son visage. Il toisa le monstre à travers ses lunettes, un 14
peu comme s'il venait de découvrir une fourmi sur sa tartine.

— Je ne te fais pas peur ? gronda le monstre.

— Non, vraiment ! Pas du tout ! répondit tranquillement le garçon.

— Pourtant, ne suis-je pas un monstre affreux, horrible et épouvantable ?

Le garçon haussa les épaules. On aurait dit qu'il venait d'entendre la pire sottise de sa vie.

— Peuh ! D'abord, les monstres, ça n'existe pas ! Ce sont des histoires que l'on raconte pour faire peur aux enfants ! C'est mon père et ma mère qui me l'ont dit ! Alors, poussez-vous et arrêtez de faire l'idiot ! Vous me faites perdre mon temps avec vos bêtises !

Puis, sans plus s'occuper de lui, il entra dans son immeuble.

3

Le monstre ne pouvait plus retenir sa colère. Il donna de violents coups de talon qui faisaient trembler le sol. Après quoi, il s'attaqua aux murs et cogna dessus jusqu'à ce qu'ils se fissurent. Il écrabouilla ensuite une poussette qui se trouvait non loin de lui, avant de se rouler par terre en tapant des pieds et des mains sur le sol. Puis il se calma, s'assit dans un coin et se sentit très malheureux. De grosses larmes coulaient de ses trois yeux. C'étaient des larmes immenses, de véritables flaques d'eau. Si bien qu'il ne remarqua pas que quelqu'un s'était approché de lui.

— Pourquoi tu pleures ?

Le monstre se frotta les yeux et découvrit

un garçon qui se tenait devant lui. Il renifla un bon coup et lui demanda :

— A toi non plus, je ne te fais pas peur ?

— Non, répondit le garçon. Je ne crois pas !

A ces mots, le monstre redoubla de sanglots. Il tirait sur ses cheveux et sur ses longs poils, comme s'il voulait se les arracher.

— Mais pourquoi ? Pourquoi personne n'a plus peur de moi ?

Le petit garçon, qui s'appelait Henri, avait bon cœur. Il n'aimait pas voir pleurer quelqu'un, que ce soit un garçon, une fille ou un monstre. Il comprit très vite son problème et, pour le consoler, il se rattrapa :

— Enfin... Si... Vous me faites un peu peur quand même !

Le monstre s'arrêta de renifler.

— Seulement un peu ?

— Non, non ! Beaucoup ! mentit carrément Henri qui voulait éviter une seconde crise de larmes. Vous êtes absolument affreux et vous me faites monstrueusement peur !

— RROOOOAAAARRRRRR ! ! ! ! !

Le monstre poussa un immense rugissement de plaisir.

— Alors, si tu as peur, je vais pouvoir te manger !

Il faut préciser que le monstre mangeait seulement les enfants qui avaient peur de lui. C'était cette peur qui le nourrissait. Un cri d'effroi remplissait son ventre aussi bien qu'une tarte aux fraises, et les hurlements de terreur étaient son dessert favori.

Bien vite, le garçon recula d'un pas et l'arrêta de la main.

— Non ! Mais non ! Vous ne pouvez pas

faire ça !

— Pourquoi donc ? Qu'est-ce qu'il y a encore qui ne va pas ? s'inquiéta le monstre.

— Si vous me mangez, il n'y aura plus personne pour avoir peur de vous. Il faut me laisser vivre, au contraire !

Le monstre n'avait pas pensé à cela. Il se souvint de l'attitude des autres enfants et hésita. Il n'avait guère envie de passer le reste de sa vie à s'ennuyer dans son coin.

Il décida donc de passer un marché avec Henri. Il lui ferait peur chaque fois qu'il en aurait envie, tout en lui promettant de ne jamais lui faire de mal. Henri accepta.

Que décide le monstre ?

4

A partir de ce jour, le monstre et Henri passèrent beaucoup de temps ensemble, et ils devinrent très amis. Chaque fois qu'Henri traversait la cour, le monstre se précipitait sur lui en poussant des cris horribles. Henri devait réussir à lui échapper et à parcourir trois fois le tour de la cour. Comme à « chat », il avait droit à deux refuges : grimper sur la poubelle, et se tenir sur une grille d'égout.

Parfois, le monstre se rendait invisible et Henri devait deviner où il se trouvait sous peine de se faire prendre. Mais bien souvent, pour faire plaisir à son ami, le garçon se débrouillait pour se laisser attraper. Le monstre, alors, faisait semblant de le dévorer. Il lui mordillait les bras, les jambes, puis lui donnait un bon coup de langue sur la tête.

Le monstre ne voulait pas sortir de la cour ; il craignait de se perdre et de ne plus retrouver son immeuble, ni son nouvel ami. Aussi, un jour, Henri le prit par la main et lui proposa :

— Viens ! Il y en a assez de toujours rester ici ! Je vais te faire visiter le quartier. Rends-toi invisible !

Le monstre n'était pas rassuré, mais il n'osait pas faire voir qu'il avait peur. Ils franchirent la porte de l'immeuble…

Soudain, le monstre poussa un cri et fit demi-tour en courant. Henri s'accrocha à sa main. Le monstre l'entraîna dans la cour et s'assit dans un coin en murmurant à toute vitesse :

— Mondieumondieumondieumondieu…

Henri, inquiet, lui demanda :

— Eh bien ? Qu'est-ce qu'il y a ?

Le monstre répondit en tremblant :

— Tu ne m'avais pas dit qu'il y avait des tas de monstres encore plus grands que moi, dehors !

— Des monstres ? Où ça ?

— Dans la rue ! Même qu'ils ont de drôles de pattes rondes et un estomac transparent ! On voit toutes les personnes qu'ils ont mangées, à l'intérieur !

Henri réfléchit quelques secondes puis il se mit à rire.

— Mais non, idiot ! Ce ne sont pas des monstres, ce sont des autobus !

— Des zotobus ? C'est un drôle de nom pour un monstre.

**Dans la rue,
de quoi le monstre
a-t-il très peur ?**

Henri eut du mal à convaincre son ami
de ressortir. Mais à force de patience, il y réussit.

Dans la rue, le monstre serrait très fort la main du petit garçon et il regardait tout autour de lui avec des yeux affolés. Jamais il n'avait vu autant de monde à la fois ! Et puis toutes ces lumières vertes, jaunes, rouges qui s'allumaient de façon magique, c'était vraiment bizarre !

Devant les vitrines des marchands de télévision, il se demanda comment on pouvait faire entrer autant de monde dans une si petite boîte. Et quand il entendit une chanson à la radio, il chercha autour de lui pour voir les musiciens.

Tout à coup, un camion klaxonna derrière lui. Le monstre fit un saut de côté et entraîna Henri.

— Attention ! Le gros monstre ! Il va nous attaquer !

Henri essaya de le calmer, de lui expliquer ce que c'était, mais cela ne servit à rien. Et quand le monstre aperçut un avion dans le ciel, il détala en s'écriant : 18

— Et en plus, il y a des dragons !

Finalement, le monstre ne voulut plus jamais ressortir. La cour lui suffisait ; la cour et son ami. Il continua à jouer avec lui, trouvant chaque jour de nouvelles grimaces toujours plus affreuses, et de nouveaux grognements toujours plus abominables.

Parfois, lorsque tous deux étaient fatigués de courir, il prenait Henri sur ses genoux et lui racontait des histoires fantastiques de son époque.

Il lui racontait aussi ses nombreux

Trouve deux objets qui étonnent le monstre.

combats contre d'autres monstres plus forts et encore plus affreux que lui. Il parlait de tous les courageux chevaliers qu'il avait vaincus. Il décrivait les sorcières répugnantes qu'il avait [19] ratatinées, écrabouillées et parfois même [20] emprisonnées dans des cavernes grâce à son esprit rusé. [21]

Henri se doutait bien que, parfois, le monstre exagérait, mais pour ne pas lui faire de peine, il ne lui disait rien.

5

Les années passèrent. Henri grandissait…
Il courait moins vite et criait moins fort
quand le monstre le poursuivait. On
aurait pu penser qu'il s'ennuyait.

« Il est peut-être malade ? Ou un peu
fatigué ? » se disait le monstre. Mais il
sentait bien que ce n'était pas la vraie
raison. Alors, un jour, il décida d'en avoir le
cœur net ; il fit asseoir Henri à côté de lui.

— Qu'est-ce qui ne va pas, Henri ? Est-
ce que je ne te fais plus peur ?

— Si !… Bien sûr que si ! murmura
Henri en baissant la tête.

— Pourtant, j'ai l'impression que ça
t'agace maintenant, quand je te poursuis !

— Non ! Non ! C'est pas ça ! Mais…

J'ai beaucoup de travail depuis que je suis au collège. Et puis…

— Et puis ?

— Je me suis disputé avec Lucile, ma copine. Elle dit que je raconte des histoires quand je parle de toi et que je suis trop grand pour jouer au monstre ! Elle me traite même de bébé !

Le monstre devint tout rouge et s'écria en agitant les bras :

— Comment ? Par les cornes de l'enfer ! Ça suffit d'entendre de telles sornettes ! Je m'en vais mettre ce pays à feu et à sang, moi ! Les gens verront bien si tu racontes des histoires !

Henri, effrayé, s'agrippa à lui.

— Non ! Arrête ! Ne te fâche pas ! Ce n'est pas grave !

Le monstre se calma, lui caressa la tête

Comment Lucile voit-elle Henri ?

et se mit à rire.

— Hi ! Hi ! Tu vois, je suis encore capable de te faire peur ! Mais tu as raison : ce n'est pas grave. Rentre chez toi maintenant !

Une fois seul, le monstre soupira :

— J'aurais dû m'en douter ! Il grandit comme tous les autres. Bientôt, lui non plus n'aura plus besoin de moi !

Il s'assit par terre et se mit à réfléchir. Il resta ainsi longtemps, immobile, jusqu'à ce que les étoiles le préviennent que la nuit était tombée.

Alors, il prit sa décision et se résolut à 23 l'annoncer dès le lendemain à Henri…

Il était si malheureux qu'il aplatit une poubelle d'un violent coup de pied. Mais cela ne le calma pas. Il lui semblait que son cœur était en bouillie.

Le lendemain, le monstre s'approcha

timidement de son ami.

— Henri ! J'ai bien réfléchi hier. Je crois que je vais m'en aller !

Henri ouvrit de grands yeux étonnés.

— T'en aller ? Pourquoi ? Mais où ?

— Je ne sais pas ! J'ai envie de voir du pays, de connaître de nouveaux endroits. Tu sais, un monstre tel que moi ne peut se satisfaire d'une si petite cour ! Il me faut de grands espaces, de longs voyages, des aventures extraordinaires !

— Mais je croyais que d'aller dehors, ça te faisait...

— Ne dis pas de bêtises ! coupa le monstre. Je n'ai peur de rien, et surtout pas de ces espèces de zotobus ! C'est décidé, je pars !

— Tu reviendras ?

— Je ne sais pas ! Peut-être... un jour...

Henri s'approcha du monstre et le serra

très fort.

— Tu es le plus affreux, horrible, épouvantable monstre que j'aie jamais vu ! Tu vas me manquer !

— Toi aussi ! répondit le monstre. Tu es le plus affreux, horrible, épouvantable garçon que j'aie jamais connu !

Et c'était là un grand compliment dans le langage du monstre.

Le monstre sentit que ses trois yeux rougissaient. Il se rendit vite invisible pour qu'Henri ne le voie pas pleurer.

Quand le monstre sortit dans la rue, il resta quelques secondes immobile sur le pas de la porte. Tout ce qui l'entourait était nouveau pour lui. Nouveau et effrayant. Pourtant, il fallait partir. Il s'avança sur le trottoir et se mit à marcher le long de ces étranges maisons carrées, si hautes, si

Quels sont les compliments pour le monstre ?

hautes, et à côté desquelles il se sentait si petit...

Ses pas l'emmenèrent loin, loin de la ville et du bruit. En traversant une montagne, il trouva refuge dans une caverne et s'y installa. Dans l'obscurité, il se mit à réfléchir à ce monde étrange où il n'y avait pas de place pour lui. Il pensa à Henri et son cœur se serra. Soudain, une idée lui redonna espoir :

« Un jour, Henri se mariera, et il aura beaucoup d'enfants qui lui ressembleront ! Alors... je reviendrai ! »

Le monstre ferma ses trois yeux et, en souriant, il s'endormit très vite.

1

des **marmots joufflus**

Ce sont de jeunes enfants aux joues rondes.

2

cadenassées

Les portes sont fermées à l'aide de cadenas.

3

une **pichenette**

Petit coup donné avec un doigt.

4

il **écarquilla**

Il ouvrit très grand les yeux.

5

gominés

Les cheveux sont recouverts d'une pommade transparente et collante.

6

dépité

Le monstre est contrarié et déçu.

7

bye-bye (on prononce : *baille-baille*)

Au revoir, en anglais.

8

en **grommelant**

En grognant à voix basse.

9

un **freluquet**

Jeune garçon maigre et faible.

10

il **contempla** son **reflet**

Il se regarda dans la porte vitrée comme dans un miroir.

11

il **ébouriffa**

Le monstre décoiffa ses cheveux.

12

il **se rua**

Le monstre se précipita sur l'enfant.

13

un **vermisseau**
Petit ver de terre.

un **chenapan**
Enfant mal élevé, qui fait souvent des bêtises.

14

il **toisa**
Il regarda le monstre de haut, avec mépris.

15

ils **se fissurent**
Les murs se fendent.

16

il **redoubla de sanglots**
Le monstre recommença à pleurer, mais deux fois plus fort.

17

convaincre
Amener quelqu'un à penser qu'on a raison.

18

il **détala**
Il s'enfuit à toute vitesse.

19

répugnantes
Dégoûtantes, repoussantes.

20

ratatinées
Écrasées.

21

un **esprit rusé**
Le monstre est malin et sait tendre des pièges.

22

des **sornettes**
Des paroles qui ne veulent rien dire ou qui racontent des choses fausses.

23

il **se résolut**
Il se décida.

1 Ratus va chez le coiffeur
Pour faire plaisir à Mina, Ratus se fait couper les cheveux.

2 Ratus et les lapins
Ratus fait construire un immeuble pour le louer à des lapins.

3 Les parapluies de Mamie Ratus
Les extraterrestres arrivent. Mais que fait Mamie Ratus avec ses parapluies ?

4 Ralette et le serpent
Pendant que Ralette était absente, Raldo s'est fait élire roi des rats.

5 Les tourterelles sont en danger
Un horrible chasseur veut tuer les tourterelles !

6 Ralette a disparu
On dit que le boucher de Ragréou est un ogre. Et Ralette a disparu…

7 Mon copain le monstre
Il était une fois un monstre qui mangeait les enfants…

8 La visite de Mamie Ratus
Ratus fait le ménage chez lui ! Pour qui ?

9 Ratus aux sports d'hiver
Ratus veut faire du ski. Tout irait bien s'il était prudent…

10 Luce et l'abominable pou
Luce la puce vit heureuse dans les poils d'un chien. Un pou arrive…

11 Drôle de maîtresse
Une nouvelle maîtresse arrive. On se souviendra longtemps de ses leçons…

12 Le mariage de l'abominable pou
L'abominable pou enlève Luce la jolie puce…

13 Ratus pique-nique
Pique-niquer devrait être une fête. Mais quand Victor est là, adieu le calme !

Les autres titres de la collection

Tu es un super-lecteur
si tu as trouvé ces 13 bonnes réponses.

31, 32, 34.

17, 22, 25, 26

1, 4, 5, 10, 13, 15

Maquette Jean Yves Grall, mise en page Joseph Dorly

Imprimé en France par Pollina, 85400 Luçon - n° 73456-C
Dépôt légal n° 16397 - Novembre 1997